W0181063

Schirner
Verlag

Britta Diana Petri

Vegane Käsespezialitäten

rohe und glutenfreie Alternativen
aus der RainbowWay®-Vitalkost-Küche

Abbildungsverzeichnis

Fotos zu den Rezepten:
Britta Diana Petri, RainbowWay® Akademie

Fotos von Personal Blender und Excalibur:
mit freundlicher Genehmigung von Keimling Naturkost GmbH

ISBN Printausgabe 978-3-8434-5079-9
ISBN E-Book 978-3-8434-6098-9

Britta Diana Petri:
Vegane Käsespezialitäten –
rohe und glutenfreie Alternativen
aus der RainbowWay®-Vitalkost-Küche
© 2013 Schirner Verlag, Darmstadt

Umschlag: Arne Gutowski, Schirner,
unter Verwendung eines Bildes
von Britta Diana Petri
Satz: Arne Gutowski, Schirner
Redaktion: Sarah Neumann, Schirner
Printed by: Ren Medien GmbH, Germany

www.schirner.com

3. Auflage April 2015

Inhalt

Vorwort

Alle Kreationen der RainbowWay®-Vitalkost-Küche sind vegan, glutenfrei und roh, sie werden also nicht über 42° C erhitzt. Die vegane Vitalkost ist eine Form der Rohkost, die auf Tierprodukte verzichtet und auch kunstvoll zubereitete Gerichte bis in den hohen Gourmetbereich einbezieht. Im Vordergrund steht jedoch das Ziel, die Gesundheit mit einer harmonischen Vitalkost-Ernährung im Säure-Basen-Gleichgewicht zu verbessern. In der Einführung und den Erklärungen, die zum Gelingen der folgenden Rezepte nötig sind, fasse ich mich so kurz wie möglich, damit für die Rezepte mindestens zwei Drittel des Buches bleiben. Beim Umsetzen der Rezepte ist es wichtig, dass Sie auch selbst ein wenig experimentieren, dass Sie, sollte eine Zutat einmal nicht vorhanden sein, diese durch etwas ersetzen, was Sie im Haus haben oder leicht besorgen können. Bleiben Sie flexibel, mit der Zeit können Sie sich immer noch alle nötigen Zutaten und Geräte beschaffen. Bis dahin können Sie einfach etwas improvisieren!

Wer ausführlichere Informationen zu bestimmten Themen haben möchte, hat die Möglichkeit, an meinen Kursen, Seminaren und Workshops teilzunehmen oder eine der Ausbildungen zu absolvieren. Übrigens stehen neben meinen Büchern in der »Kleinen Reihe« des Schirner Verlags auch schon umfangreichere Buchprojekte auf dem Plan. Über meine Homepage www.RainbowWay.de halte ich Sie mit Infos und Neuigkeiten gerne auf dem Laufenden.

Einführung

In meinen Coachings und Ausbildungen wird immer wieder der Wunsch nach einem Ersatz für Käse geäußert, nach etwas, was das Bedürfnis nach Fett und Eiweiß auf eine ähnlich genussvolle Weise befriedigt wie das Essen von Käse in all seinen vielfältigen Erscheinungsformen.

Inzwischen gibt es eine große Auswahl an laktosefreien und/oder veganen Käsen und »Käseimitaten« aus den unterschiedlichsten Rohstoffen, die jedoch eher bei den Industrienahrungsmitteln, nicht aber im Rahmen der veganen Rohkost/Vitalkost anzusiedeln sind. Menschen, die natürliche, frische, »lebendige Nahrung« bevorzugen, haben es da schwer.

Alle Zutaten für die Rezepte, die ich Ihnen hier vorstelle, sind frisch, in Rohkostqualität und voll von natürlichen Nährstoffen! Sie bedürfen keiner großen Veränderung. Wenn wir ein bisschen mit den Konsistenzen spielen, die biochemischen Vorgänge und die Alchemie der Natur nutzen und unterstützen, haben wir im Handumdrehen die herrlichsten Kreationen auf dem Tisch, durch die Gesundheit mit höchstem Genuss verbunden wird und die unsere Geschmacksknospen beleben und befriedigen.

Ich achte stets darauf, dass die Nahrungsmittel, die ich einkaufe, ernte oder herstelle, so natürlich wie möglich, so frisch wie möglich und roh und vegan sind. Sie haben möglichst Bio-qualität und stammen bestenfalls aus dem eigenen Biogarten oder aus sauberem Wildwuchs. Des Weiteren sollten sie mög-lichst leicht verdaulich, glutenfrei und ohne künstliche Zusatz-stoffe sein, Gesundheit und Wohlbefinden fördern und dem Wohl des Einzelnen wie auch dem Wohl des Ganzen dienen. Ich nenne das »Ernährung aus ganzheitlicher Sicht« und »holis-tische Vitalkost-Zubereitung«.

Im Buch »Zauberhafte Mandelmusrezepte« hat so manche/r von Ihnen schon einen ersten Einblick bekommen, was man aus Nüssen – in diesem Fall aus Mandelmus – so alles zaubern kann. Mit diesem Buch möchte ich Sie in die köstliche Welt der Nuss-und Samenkäse einladen.[1] Alle hier vorgestellten Kreationen können Sie leicht selbst zubereiten. Das Gute daran ist, Sie wis-sen immer, dass Sie nur die besten Produkte verwenden, dass die Kreationen unter optimalen Bedingungen hergestellt wer-den, und was genau Sie da essen. Wenn wir die Verantwortung für unsere Gesundheit und unser Leben wieder mehr in die eige-nen Hände nehmen, uns bewusster ernähren und so viel wie möglich mit dem richtigen Know-how und viel Liebe und Freude selbst herstellen, dann trägt das maßgeblich zu unserer Gesund-heit und mehr Lebensqualität bei.

---

1 Wenn im Folgenden von Nüssen gesprochen wird, so sind damit auch Früchte gemeint, die im botanischen Sinne nicht zu den Nüssen zählen, wie Mandeln oder Pistazien.

Nahrung zuzubereiten dient nicht allein der Erhaltung des Lebens, sondern ist auch ein Stück Kultur. Die Art und Weise, wie wir unser Essen zubereiten, spielt eine wichtige Rolle und kann durchaus ein kreativer, kunstvoller oder meditativer Prozess sein, der all unsere Sinne anspricht und bezaubert, sowohl vor als auch bei dem Verzehr. Versuchen Sie, beim Anfertigen der Speisen stets gut gelaunt zu sein, Freude bei der Arbeit zu haben, kreativ zu sein, vielleicht noch Musik dabei zu hören. Die Zubereitung und das Essen danach ist ein harmonischer Prozess, der Körper und Geist gleichermaßen nährt und beglückt.

Vitalkostzubereitung,
roh, vegan und glutenfrei

Rohkost und vegane Vitalkost sind Formen der Ernährung, bei denen die Nahrungsmittel so naturnah wie möglich gegessen und nicht über 42° C erhitzt werden. Es gibt unterschiedliche Arten von Rohkost, bei manchen werden noch Produkte aus toten und von lebenden Tieren einbezogen. Davon nehmen wir in der veganen Vitalkost-Küche Abstand. Über die Gründe, warum ich die vegane Lebensweise bevorzuge, könnte ich alleine schon ein Buch schreiben, sodass dies den Rahmen dieses Büchleins sprengen würde. Wenn Sie sich näher mit dem Thema Veganismus beschäftigen wollen, kann ich Ihnen zwei Autoren ans Herz legen, deren Arbeit ich sehr schätze und die hervorragende Werke dazu geschrieben haben: John Robbins[2] und Rüdiger Dahlke[3]. Sehr empfehlen kann ich außerdem das Buch »China Study«[4] von T. Colin Campbell und Thomas. M. Campbell.

2 John Robbins: Ernährung für ein neues Jahrtausend. Hans-Nietsch-Verlag 1995; John Robbins: Food Revolution. Hans-Nietsch-Verlag 2003.

3 Rüdiger Dahlke: Peace Food. Wie der Verzicht auf Fleisch und Milch Körper und Seele heilt. Gräfe und Unzer 2011.

4 T. Colin Campbell, Thomas. M. Campbell: China Study. Die wissenschaftliche Begründung für eine vegane Ernährungsweise. Systemische Medizin AG 2011.

Die vegane Vitalkost ist eine ganzheitlich orientierte Form der veganen Rohkost, bei der es nicht eine allgemeingültige Wahrheit gibt, sondern so viele Wahrheiten, wie es Menschen gibt ... Jeder muss seine Wahrheit finden und leben, um sich individuell weiterzuentwickeln und den nächsten Schritt auf seinem Weg zu Gesundheit, Selbsterkenntnis und Selbstverwirklichung zu machen.

Eine ganzheitliche Sicht, eine vegane, natürliche, vitale Ernährung und Lebensweise im Säure-Basen-Gleichgewicht, ein respektvoller Umgang mit allen Lebewesen, der Natur und der Schöpfung im Ganzen sind Voraussetzung für eine harmonische Symbiose von Mensch, Tier, Pflanze und Mutter Natur auf unserem wundervollen Planeten. Sich für eine vegane Lebensweise zu entscheiden, bedeutet, sich für eine friedvolle und respektvolle Lebensweise zu entscheiden. Weiß man, worauf man bei einer veganen Ernährung achten muss, braucht man keine Angst vor Mangelerscheinungen zu haben. Die Natur sorgt für alles, und solange uns das Pflanzenreich mit all seinen Schätzen und Gaben zur Verfügung steht, müssen keine Lebewesen aus dem Tierreich getötet oder ausgebeutet werden. Die Ressourcen reichen für alle, und ein harmonisches Miteinander ist möglich, wenn wir uns alle liebevoll um den Planeten, die Natur und alle Wesen und Dinge, die sich darauf befinden, kümmern. Wenn wir für die optimale Verteilung der Ressourcen sorgen, Ungleichgewichte ausgleichen, die Lebenselemente überall nutzbar machen und zum Einsatz bringen, wird die ganze Erde wie ein riesiger fruchtbarer Garten, der alle nährt und in dem sich alle optimal entwickeln können. Liebe, Frieden, Respekt und Dankbarkeit helfen uns dabei, diese Ziele zu verwirklichen.

Leider sind wir davon noch ein Stück weit entfernt, und Umwelt- und Strahlenbelastungen sowie Nahrungsmittel, die allerlei Stoffe enthalten, die nichts in unserem Körper zu suchen haben, schwächen den Organismus. Die Belastungen sind oftmals zu hoch, um sie mit den uns zur Verfügung stehenden Möglichkeiten zu kompensieren. So kommt es bei immer mehr Menschen zu Disharmonien, einem geschwächten Immunsystem und den damit einhergehenden Unverträglichkeiten oder sogar Krankheiten.

Um aus diesem Dilemma herauszukommen, ist es am sinnvollsten, Prävention zu betreiben, indem man auf alle unnatürlichen und toten Nahrungsmittel verzichtet. Ebenso sollte man Nahrungsmittel meiden, die mit Stoffen versetzt sind, die dem Leben nicht zuträglich sind. Wir verwenden nach Möglichkeit ungespritzte, natürlich gewachsene Lebensmittel und bereiten sie werterhaltend und schonend zu. Eine natürliche Ernährung schützt uns weitgehend vor Unverträglichkeiten, Krankheiten und Degeneration und fördert Vitalität, Lebenskraft und Lebensfreude.

Nussallergien und Unverträglichkeiten

Wenn Sie auf bestimmte Nüsse allergisch reagieren, dann probieren Sie nur die Rezepte aus, deren Zutaten Sie auch wirklich vertragen. Schauen Sie sich grundsätzlich immer die Inhalte von allem an, was Sie zu sich nehmen! Es ist auch möglich, dass so manche Unverträglichkeit verschwindet, wenn man die Nüsse entsprechend »vorbereitet«. Bei einer Allergie mit gesundheits- und lebensbedrohlichen Symptomen rate ich aber dringend davon ab, Experimente bezüglich der Verträglichkeit zu machen. Ziehen Sie im Falle von Krankheiten und Allergien immer Ihren Arzt zu Rate!

Nüsse und viele andere Pflanzen verfügen über einen natürlichen »Fressschutz«, d.h., in ihnen sind Stoffe enthalten, die sie vor ihren »Fressfeinden« schützen. In geringen Mengen können diese Stoffe in den meisten Fällen von unserem Körper toleriert werden oder sogar zum Training des Immunsystems beitragen. In größeren Mengen jedoch können sie wie ein Gift wirken und unseren Organismus total überfordern. Die essbaren Früchte der Pflanzen dienen ihrer Arterhaltung. Man sollte daher nur verträgliche Mengen (je nach Art kann dies variieren) zu sich nehmen, um nicht zu hohe Dosen der Schutzstoffe der Pflanze oder gar Umweltgifte, die die Pflanze gesammelt hat, aufzunehmen. Auch ist es nicht sinnvoll, sich zu »überessen«. Maß halten fördert die Gesundheit!

Hier ein 7-Punkte-Crashkurs, wie Sie Nüsse besser verträglich und leichter verdaulich machen können:

1. Weichen Sie Nüsse 12–24 Stunden (oder länger, je nach Nusssorte und Bedarf) in Wasser ein, bis sie etwas aufquellen, und spülen Sie sie zwischendurch mehrmals ab bzw. wechseln Sie das Wasser, damit es nicht »kippt«. Das macht sie leichter verdaulich und weniger belastend für die Leber.

2. Anschließend können Sie die schwer verdauliche braune Haut, die oft zu Unverträglichkeiten führt, leicht entfernen.

3. Essen Sie nur kleine Mengen an Nüssen auf einmal.

4. Außer der Mandel verstoffwechseln sich die meisten Nusssorten nicht basisch, wenn sie pur gegessen werden.

5. Werden Nüsse lange genug eingeweicht, von ihrer braunen Haut befreit und beginnen sie zu keimen, verwandeln sie sich. Sie wollen zur Pflanze werden und wirken daher immer weniger säurebildend, so, wie wir das von Keimlingen kennen.

6. Setzen wir Milchsäurebakterien ein, um in der Nussmasse eine Art »Vorverdauung« zu bewirken, wird die Nuss leichter verdaulich und fördert zusätzlich noch eine gesunde Darmflora. Damit sind wir dann im Bereich der Nusskäseherstellung.

7. Verwenden Sie so frische Nüsse wie möglich, da sie – von ihrer Schale befreit – schnell ranzig werden und dadurch Aflatoxine entstehen können. Diese Toxine sind extrem gesundheitsschädlich!

Nusskäse —
eine natur–, umwelt–
und lebensfreundliche Alternative

Milchprodukte haben in unserer Kultur schon seit Generationen einen hohen Stellenwert. Jedoch stehen die kommerzielle und industrielle Ausbeutung der Tiere und die damit einhergehenden Belastungen für sie, uns Menschen und die Umwelt in keinem akzeptablen Verhältnis. Sich für eine vegane Ernährung mit möglichst hohem Vitalkostanteil zu entscheiden, entspricht den Anforderungen unserer Zeit und liegt aus ganzheitlicher Sicht in der Natur der Dinge. Je natürlicher und frischer die Nahrungsmittel, desto größer der Nutzen und der gesundheitliche Effekt.

Mit den Rezepten in diesem Buch möchte ich keinen Ersatz für Milchprodukte schaffen, sondern aufzeigen, dass auch das Pflanzenreich eine Menge Lebensmittel zu bieten hat, die durch die Symbiose mit lebensfördernden Mikroben naturgesunde und wohlschmeckende Kreationen ermöglichen! Mit diesen neuen Möglichkeiten und der Kunst der veganen Vitalkostzubereitung erleichtern und schützen wir ganz nebenbei das Leben der Tiere und tragen zur Schonung der Regenwälder, unserer Atmosphäre und unserer natürlichen Ressourcen bei!

Man muss übrigens nicht unbedingt eine Laktoseintoleranz haben oder Veganer sein, um die wundervollen Nusskreationen zu mögen, denn auf eine gesundheitsfördernde Weise zubereitete Nüsse und Samen sind für alle Menschen ein leicht verdauliches, köstliches und kulinarisches Erlebnis!

Nüsse und Samen

Hier möchte ich nun einige der Nüsse und Samen aufführen, die Sie für die Herstellung von Nuss- und Samenkäse verwenden können. Grundsätzlich sollten Sie nicht vergessen, dass speziell die geschälten Nüsse anfällig für Schimmel und damit für die giftigen Aflatoxine sind. Nüsse aus Exportländern, wie z. B. die Paranuss (siehe S. 24), die besonders pilzanfällig ist, werden in der Regel bei Ankunft mit speziellen UV-Leuchten auf eventuellen Befall kontrolliert. Nüsse aus unterschiedlichen Exportländern können Wachstums-, Ernte-, Transport-, und Umweltbelastungen ausgesetzt gewesen sein (wie viele andere Lebensmittel und Früchte auch). Nicht immer kann man nachvollziehen, was alles mit dem Lebensmittel, das man gerade vor sich hat, passiert ist. Ich kaufe all meine Nüsse stets im Bio- und im Rohkosthandel ein, um weitgehend auf der sicheren Seite zu sein.

Achten Sie bei Nüssen immer auf Aussehen, Geruch und Geschmack. Sind sie verfärbt, riechen sie ranzig oder schmecken sie bitter, verwenden Sie sie nicht!

Lagern Sie Nüsse ohne Schale stets kühl und trocken. Bewahren Sie sie jedoch nicht im Kühlschrank auf, es sei denn für wenige Tage nach der Zubereitung. Verwerten Sie angebrochene Packungen immer zügig!

Die Nüsse und Samen in den folgenden Käserezepten sind immer untereinander austauschbar. Probieren Sie selbst, mit welchen Nüssen Ihnen die Rezepte am besten schmecken.

Cashewkerne

Cashewkerne gibt es fast das ganze Jahr über. Ihr Geschmack ist leicht süßlich und ihre Konsistenz viel weicher und cremiger, als wir es von anderen Nüssen gewohnt sind. Sie sind verhältnismäßig fettarm, haben jedoch einen hohen Eiweißgehalt und sind reich an Magnesium und Tryptophan. Damit eignen sich Cashewkerne gut als Nervennahrung, und sie unterstützen die Produktion des Glückshormons Serotonin. In der roh-veganen Käseherstellung bringen sie die allerbesten Ergebnisse!

Mandeln

Mandeln verstoffwechseln sich basisch und ergeben ein ausgezeichnetes Mandelmus. Von ihrem Eiweißgehalt ausgehend von etwa 20 % sind sie mit Mozzarella gleichzusetzen. Sie enthalten hochwertige Fette, die zur Regulation des Stoffwechsels beitragen, und sind reich an B-Vitaminen, Beta-Carotin, Vitamin E, Kalzium und Eisen. Außerdem enthalten sie auch Spurenelemente, wie z. B. Zink, Selen und Fluor. Wenn Mandeln nicht gut gekaut werden, liegen sie jedoch schwer im Magen. Ich empfehle entweder das weiße Biomandelmus aus geschälten Mandeln oder gut sortierte Biomandeln, die mindestens 24 Stunden eingeweicht wurden und von ihrer braunen Haut befreit sind. Eine Unverträglichkeit gegenüber Mandeln kann sich bei Menschen zeigen, die z. B. auf Salicylsäure reagieren. Von diesem natürlichen Konservierungsstoff enthalten Mandeln größere Mengen als andere Nusssorten.

Mandelmus eignet sich besonders gut für cremige Nusskäsevarianten!

Paranüsse

Die leckeren Exoten aus dem brasilianischen Regenwald sind von einer braunen Haut umhüllt und stecken in einer extrem harten Schale, die nur sehr schwer zu knacken ist. Ich verwende Paranüsse aus dem Bio- und Rohkosthandel, die schon von ihrer harten Schale befreit und damit genussfertig sind.

Paranussbäume wachsen wild und lassen sich nur schwer vom Menschen beeinflussen. Es vergehen rund 10 Jahre, bis sie die ersten Früchte tragen, und da die Bäume oft 30–60 m hoch sind, muss man warten, bis die Früchte reif sind und herunterfallen. Eine Paranussfrucht kann bis zu 30 cm groß werden und bis zu 3 kg wiegen.

Paranüsse sind reich an Proteinen, wertvollen Fetten, Mineralstoffen, Spurenelementen und Selen.

Paranusskäse schmeckt etwas süßlich und lässt sich durch den Einsatz unterschiedlichster Gewürze und Zutaten sowohl zu süßlichen als auch zu pikanten Käsevariationen weiterverarbeiten.

Pekannüsse

Ihre ursprüngliche Heimat ist Texas/Nordamerika. Im Geschmack erinnern sie entfernt an Walnüsse, jedoch finde ich ihn weniger dominant und um einiges milder. Pekannüsse sind reich an Kalium, Kalzium, Magnesium und Eisen, außerdem an B-Vitaminen, Vitamin A und wertvollen Fetten.

Sie enthalten etwa 72 % Fett – was jedoch bei »bewusstem Genuss« durchaus nicht dick macht, sondern durch die wertvollen Fettsäuren Herz, Gefäße und Kreislauf unterstützt. Natürlich sind sie wie alle Nüsse auch reich an Ballaststoffen.

Pekannüsse eignen sich hervorragend zu den unterschiedlichsten Vitalkostkreationen, zur Dekoration der Speisen wie auch zur Herstellung von Nusskäse, Dips, Pasteten und Aufstrichen.

Haselnüsse

Auch die Haselnüsse sind reich an hochwertigem Eiweiß und wertvollen Fetten, außerdem an Vitamin E und Mineralstoffen wie Kalzium, Magnesium, Eisen, Kupfer, Zink, Fluor und Selen. Ich verwende Haselnüsse in meinen Kursen gerne sparsam, da viele Menschen mit Nahrungsmittelunverträglichkeiten leicht auf sie reagieren.

Wie bei allen Nüssen gilt auch hier: Eine Handvoll pro Tag oder weniger reicht vollkommen aus. Achten Sie stets auf die Qualität der Nüsse und darauf, dass die Nüsse nicht alt oder gar ranzig sind!

Haselnüsse eignen sich, wie fast alle anderen Nüsse auch, zur Herstellung von Nussmilch, Nusskäse, Nuss-Schoko-Creme, Kuchen, Desserts, Aufstrichen und Pasteten. Eingeweicht, mariniert oder getrocknet lässt sich daraus allerlei rohköstliches Knabberzeug herstellen.

Macadamianüsse

Macadamianüsse haben eine ganz besonders harte Schale, aber dafür einen herrlich weichen Kern. Da die Schale so schwer zu knacken ist, wird sie meist gleich nach der Ernte mit speziellen Gerätschaften entfernt. Die Nusskerne sind sehr hell, fast rund, und sie sind reich an B-Vitaminen, Mineralien und wertvollen Fetten und Fettsäuren. In der Vitalkost-Küche sind sie in den unterschiedlichsten Rezepten einsetzbar. Sie ergeben einen fast weißen Nuss-Frischkäse, der in Kombination mit farbenfrohen Früchten, Gemüsen, Kräutern und Pestos durchaus beeindruckt.

Walnüsse (Baumnüsse)

Die ausladenden Walnussbäume können sehr hoch und sehr alt werden. Ein bisschen erinnert die Form der Walnuss an unsere beiden Gehirnhälften, und man sagt, dass 2–3 Walnüsse pro Tag die geistige Fitness und die Konzentrationsfähigkeit unterstützen. Sie sind reich an Linolsäure, Vitamin E, wertvollen Fetten und enthalten etwa 15 % Eiweiß. Walnüsse ohne Schale verderben sehr schnell, sie werden ranzig. Aus diesem Grund behandeln einige Firmen Walnüsse mit einem Antioxidationsmittel. Auch hier gilt es, auf Bio- und Rohkostqualität zu achten, um auf der sicheren Seite zu sein! Von Walnüssen verwenden wir auch stets kleine Mengen, dafür kommen sie aber z. B. in Form von essbarer Dekoration auf einem Salatteller öfter einmal auf unseren Tisch.

Pistazien

Pistazien gelten im Orient als ganz besondere Delikatesse! Genau wie die Cashews gehören Pistazien botanisch nicht zu den Nüssen, sondern zu den Früchten der Sumachgewächse. Sie wachsen in Trauben von etwa 25 Früchten an Laubbäumen, die mehr als 100 Jahre alt werden. Je nach Sorte können sie verschieden geformt sein, von rund bis oval. Ihre Schale ist sehr dünn, glatt und hart. Zur Erntezeit öffnet sich der vordere Teil der Schale leicht, und man kann den grünen Kern sehen. Sind die Pistazien reif, werden sie innerhalb von drei Wochen geerntet, denn mit offener Schale sind sie ungeschützt und könnten leicht von Keimen befallen werden. Pistazien werden in der Regel noch von Hand gepflückt und – so, wie wir sie verwenden – in Rohkostqualität getrocknet. Ihr Gesundheitswert ist beachtlich. Neben wertvollen Fettsäuren, Ballaststoffen, Vitamin B und Gamma-Tocopherol (Schutz vor Zellalterung) verfügen sie über mehr Polyphenol (Antioxidantien) als eine Tasse grüner Tee. Pistazienkäse und andere vitalköstliche Kreationen aus Pistazien sind recht kostenintensiv, aber auch sehr gesund und besonders schmackhaft. Ein leckerer Pistazien-Frischkäse ist ein Highlight auf jedem Festtags-Buffet.

Pinienkerne

Pinienkerne gehören zu den teuersten Nusssorten überhaupt. Es dauert etwa drei Jahre, bis die leckeren Kerne in den Zapfen der wild wachsenden mediterranen Pinien herangereift sind. Nach der oftmals mühseligen Ernte folgen das Herauslösen der delikaten weißen Kerne aus ihrer dicken harten Schale und das Entfernen der braunen Samenhaut. Die echten Pinienkerne kommen meistens aus Italien, Spanien und der Türkei. Pinien wachsen rund ums Mittelmeer und auch in Südamerika. Das mandelähnliche, jedoch leicht harzige Aroma der Pinienkerne und ihre cremige, zarte Konsistenz sind einzigartig. Man kann sie das ganze Jahr über kaufen. Sie verfügen über einen beeindruckenden Selengehalt, wobei ihr Eiweißgehalt nicht besonders hoch ist. In der Vitalkost-Küche passen sie nicht nur in Pestos, sondern sie eignen sich auch für eine ganze Menge süßer und herzhafter Gerichte, wie auch für einen wunderbaren Pinienkäse oder parmesanartige Rezepturen!

Zedernkerne

Zedernkerne sind den Pinienkernen ziemlich ähnlich. Sie sind die Samen aus den Zapfen des Zedernbaumes, ganz besonders nahrhaft und reich an B-Vitaminen, Vitamin E, Mineralien, Spurenelementen und wertvollen Fettsäuren. Durch ihren unverwechselbaren Geschmack, ihre Zartheit und das angenehme Mundgefühl, das sie beim Verzehr hervorrufen, sind sie sehr beliebt. Ebenso wie die Pinienkerne passen sie wunderbar in Pestos, eignen sich aber auch für exklusive Nusskäsekreationen und andere vitalköstliche Highlights. Man kann sie auch einfach als sehr gesunden, nahrhaften Snack pur naschen oder sie einweichen, marinieren, würzen und in pikantes Knabberzeug verwandeln.

Sonnenblumenkerne

Viele kennen Sonnenblumenkerne als Vogelfutter, als Grundlage für Sonnenblumenöl oder Biobrotaufstriche. Sie sind extrem vielseitig verwendbar und schmecken sehr fein, nussig und mild. Man kann sie das ganze Jahr über in gleichbleibender Qualität kaufen, und sie sind, im Vergleich zu den Nüssen, relativ günstig. Sonnenblumen bereichern jeden Garten! Ihr Gehalt an Folsäure und B-Vitaminen ist beeindruckend, und sie enthalten mehr Protein als die meisten Fische oder das meiste Fleisch. Auch ihr Mineralstoffreichtum, wie z.B. an Magnesium und Phosphor, ist beachtlich. Sonnenblumenkerne sind damit ein bedeutsames Grundnahrungsmittel für Vegetarier und Veganer. Es ist kaum zu glauben, was man alles aus ihnen machen kann, z.B. Samenmilch, Samenkäse, Aufstriche, Pasteten, Rohkostcracker, Brote, Knabberzeug usw. Alleine mit Rezepten aus Sonnenblumenkernen ließe sich problemlos solch ein Büchlein füllen.

Kürbiskerne

Kürbiskerne kennen viele aus Knabbermischungen oder als medizinisches Produkt gegen Blasenschwäche und Prostatabeschwerden. Sie liefern wie die meisten Nüsse und Samen wertvolle Fettsäuren, Vitamin E und Mineralstoffe. Die Phytosterine und ihr hoher Linolsäuregehalt tragen erheblich zur Förderung der Gesundheit bei. Ähnlich wie aus Sonnenblumenkernen kann man auch allerlei aus Kürbiskernen zaubern. Sie alle kennen bestimmt das wunderbar aromatische Kürbiskernöl, welches fast jede Rohköstlichkeit noch einmal in eine neue Dimension erhebt. In der Nusskäse- und Samenkäseherstellung können wir durch die Zugabe von Kürbiskernen ganz leicht Gesundheitsvorsorge mit Genuss verbinden!

Probiotische Produkte
zur Herstellung von Nuss- und Samenkäse

Bei einer Optimierung der Ernährungs- und Lebensweise beginnt man meistens mit Entschlackung, Entgiftung, Entsäuerung und Darmsanierung, um den Körper in einen guten, vitalen Gesamtzustand zu bringen. Zur Darmsanierung werden dann unterschiedlichste probiotische Kulturen verwendet, die das Gleichgewicht wiederherstellen und damit auch das Immunsystem stärken.

In diesen probiotischen Kulturen spielen Milchsäurebakterien eine bedeutende Rolle, denn sie zählen zu den wichtigsten Bakterien der menschlichen Darmflora. Man verwendet Milchsäurebakterien schon seit vielen Generationen zur Konservierung von Lebensmitteln wie z. B. Joghurt, Sauermilch, Käse, Sauerkraut und Sauerteig.

Homofermentative Bakterien produzieren ausschließlich Milchsäure. Heterofermentative Bakterien produzieren darüber hinaus auch Ethanol und Kohlendioxid. Außer den Milchsäurebakterien gibt es natürlich noch weitere Bakterien, die Milchsäure produzieren, jedoch sollen die Milchsäurebakterien die einzigen sein, die aufgrund ihres Stoffwechsels in der Lage sind, eine Gärung durchzuführen, wenn Sauerstoff vorhanden ist. Das »Lactobacillus casei« ist z. B. in vielen Produkten enthalten, die beim Verzehr das Wohlbefinden steigern und das Immunsystem stärken können.

Im Handel gibt es ein Sammelsurium an probiotischen Kulturen, die Sie im Rahmen der Nusskäseherstellung verwenden können. Um nur einige zu nennen: probiotische Pulver wie Probasan, Kapseln wie Tri-Flora, flüssige Probiotika wie ProEMsan, EM1, Symbioflor, Vita Biosa, Brottrunk und Rejuvelac oder einfach nur Sauerkrautsaft.

Es gibt so viele Möglichkeiten! Experimentieren Sie selbst mit unterschiedlichen probiotischen Produkten, und finden Sie heraus, mit welchen Sie am liebsten arbeiten. Man kann auch ganz unterschiedliche Ergebnisse erzielen. In der kreativen Vitalkostzubereitung bleibt immer Raum für eigene Ideen und individuelle Bedürfnisse!

Im Rahmen der Nusskäsezubereitung kann man sich für verschiedene Vorgehensweisen entscheiden, z. B.:

Unfermentierter Nuss- und Samenkäse

Das sind Frischkäsekreationen, die im Handumdrehen zubereitet sind und die durch Gewürze und Kräuter ihren Frischkäse-Charakter erhalten.

Nuss-Frischkäse mit fermentierten Zutaten

Damit sind Frischkäsekreationen gemeint, die mit fermentierten Produkten wie ProEMsan, Vita Biosa, Sauerkrautsaft, Brottrunk, Tamari, Miso usw. »gewürzt« werden können.

Fermentierter Nuss- und Samenkäse

Zur Herstellung von fermentiertem Nuss- und Samenkäse geben Sie 12–24 Stunden lang eingeweichte Nüsse bzw. Samen pur oder zusammen mit den gewünschten Zutaten in den Mixer und fügen ein probiotisches Produkt Ihrer Wahl hinzu. Füllen Sie die Masse in ein Gefäß, bedecken Sie sie mit einem luftdurchlässigen Tuch (feines Netz, Gaze, Nussmilchbeutel), und lassen Sie sie bei einer Raumtemperatur zwischen 22 und 32° C reifen. Die Gärung produziert die gesundheitsfördernde Milchsäure. Eiweiß, Fette und komplexe Kohlenhydrate werden durch diesen Gärungsprozess vorverdaut. So werden Nüsse und Samen wesentlich leichter verdaulich und tun auch unserer Darmflora gut! Es heißt auch, dass die Bakterien bei diesem Vorgang Vitamin B12 produzieren.

Wenn sich der wässrige Teil (Molke) trennt, das passiert in der Regel nach etwa 6 Stunden, bewegen wir uns im »Joghurtbereich«. Man könnte diese Art Nuss- oder Samenjoghurt direkt verzehren bzw. mit den gewünschten Zutaten weiterverarbeiten.

Gibt man das Produkt in den Kühlschrank, wird dieser Gärungsprozess aufgehalten, und man kann den »Joghurt« auch später verzehren. Vorzugsweise verwendet man aber für Nuss- und Samenjoghurt auch Joghurtkulturen, dann schmeckt das fertige Produkt dem Joghurt noch ähnlicher!

Unterbrechen wir den Verlauf dieses Gärungsprozesses jedoch nicht, trennt sich die Molke nach 8–10 Stunden völlig vom »Quark« und setzt sich unten ab. Sind Bläschen im Produkt zu sehen und riecht es leicht zitronig bzw. säuerlich, ist der Nuss- bzw. Samenkäse reif. Geben Sie der Molke eine Möglichkeit abzufließen, und pressen Sie den Käse durch das Sieb/Tuch aus. Anschließend können Sie die Käsemasse mit verschiedenen Kräutern und Gewürzen zur jeweils gewünschten Kreation weiterverarbeiten oder im Nussmilchbeutel oder Käsesieb über ein Abtropfgefäß hängen und weiter abtropfen und reifen lassen.

Der fertige Käse ist dann im Kühlschrank gut eine Woche haltbar. Trocknen wir den Käse im Lebensmitteltrockner, ist er noch länger haltbar, mindestens 2–3 Wochen, und kann auch ungekühlt für unterwegs mitgenommen werden.

Würzen
von Nuss- und Samenkäse

Sie können alle frischen Gartenkräuter und essbaren Wildkräuter, die Sie kennen und mögen, für diese Rezepte verwenden. Es eignen sich sowohl frische als auch getrocknete Kräuter sowie Gewürze und Gewürzmischungen, um unterschiedliche Geschmacksrichtungen in Ihre Nuss- und Samenkäsekreationen zu bringen.

Utensilien und Geräte
zur Nusskäseherstellung

- starker Mixer, z. B. den VitaMix
- Personal Blender mit Mahlwerk
- Lebensmitteltrockner (für einige Rezepte)
- Nussmilchbeutel
- Baumwolltücher oder Gaze
- Schüsseln, Schneidebretter, Messer ...
- Servierring oder etwas Ähnliches
- Silikonförmchen

Für eine Person, kleine Mengen, für unterwegs oder im Büro reicht auch ein kleines starkes Gerät wie z. B. der Personal Blender, wenn Sie keinen großen, starken Mixer haben wie den VitaMix. Benutzen Sie am Anfang einfach die Geräte, die Sie haben.

Die Rezepte

Grundrezept Nuss- und Samenmilch

Zutaten

150 g Nüsse oder Samen Ihrer Wahl

Zubereitung

Weichen Sie die Nüsse oder Samen etwa 12–24 Stunden lang in Wasser ein, und spülen Sie sie zwischendurch immer wieder einmal mit klarem Wasser ab. Geben Sie sie anschließend mit 750 ml bis 1 l Wasser in den Mixer, und verarbeiten Sie sie zu einer feinen Milch. Bei Mandeln und anderen Nüssen, die mit einer braunen Haut gemixt werden, drücken Sie den Mixerinhalt durch einen Nussmilchbeutel. Der zurückbleibende Trester lässt sich wunderbar zu Käse weiterverarbeiten. Cashewkerne, Sesam, Macadamianüsse, Sonnenblumenkerne, Pinienkerne und Zedernkerne können direkt zu einer cremigen Nussmilch gemixt werden. Die fertige Nussmilch können Sie je nach Belieben sofort pur genießen oder aber für eine von Ihnen gewünschte Kreation verwenden.

Nuss- und Samenmilch können Sie in den unterschiedlichsten Varianten herstellen. Lassen Sie Ihrer Kreativität freien Lauf, und finden Sie heraus, auf welche Weise sie Ihnen am besten schmeckt:

- pur
- mit etwas Dattelmus und Vanilleextrakt
- mit Bananen
- mit Erdbeeren
- mit Rohkakao oder Carob
- ...

Im Rahmen dieses Büchleins verwende ich nicht den Trester von Nussmilch, sondern die ganzen Nüsse und Samen mit ihrem vollen Vitalstoffspektrum für die roh-veganen Käserezepte.

Grundrezept veganer Streukäse

Vitalkostpasta und -pizza schmecken mit einem leckeren veganen Streukäse noch besser. Wenn Sie Ihr Gericht mit etwas Nussstreukäse verfeinern möchten, können Sie diesen ganz einfach selbst herstellen.

Die schnelle Variante

Zutaten
1 Tasse Nüsse Ihrer Wahl
nach Wunsch etwas Kristallsalz, getrocknete Kräuter und/oder Gewürze Ihrer Wahl

Zubereitung
Mahlen Sie die Nüsse zu grobem oder feinem Nusspulver, vermengen Sie es nach Wunsch mit etwas Kristallsalz, den Kräutern und/oder den Gewürzen, und verwenden Sie es dann wie gewöhnlichen Streukäse.

Variante mit dem Lebensmitteltrockner

Zutaten
1 Tasse Nüsse, über Nacht eingeweicht
1 EL flüssiges Probiotikum oder 1 TL probiotisches Pulver
nach Belieben etwas Kristallsalz
1 Prise Paprikapulver

Zubereitung

Gießen Sie die eingeweichten Nüsse ab, und verarbeiten Sie sie in der Küchenmaschine zu Krümeln. Besprühen bzw. bestreuen Sie sie mit dem Probiotikum, und rühren Sie Kristallsalz und Paprikapulver unter. Lassen Sie die Nusskrümel z. B. im Lebensmitteltrockner für 2–3 Stunden trocknen (je nach Nusssorte, dem Trocknermodell sowie der Dicke der Nusskrümel kann die Trocknungszeit variieren).

Grundrezept Frischkäse

Zutaten

300 g Nüsse Ihrer Wahl, 12–24 Stunden lang eingeweicht
Saft einer halben Zitrone
1 EL Schabzigerklee- oder Bockshornkleepulver
1 Prise Kristallsalz

Zubereitung

Verarbeiten Sie alle Zutaten mit 100–200 ml Wasser, je nach gewünschter Konsistenz, im Mixer zu einem sämigen Frischkäse. Sie können ihn sowohl pur essen als auch für unterschiedliche Kreationen verwenden.

Schabzigerklee- und Bockshornkleepulver sorgen für einen würzigen Geschmack nach Käse. Es gibt sie in Bioqualität z. B. von Sonnentor oder Brecht und sicherlich auch von vielen anderen guten Herstellern.

Tipp: Nuss-Frischkäse eignet sich wunderbar als Aufstrich, als Füllung von Pilzen, Tomaten, Paprikas oder Zucchini. Lecker schmeckt er auch auf Kanapees (wie Gurkenscheiben, Zucchinischeiben usw.) oder zu grünen und bunten Rohkostsalaten.

Varianten

– **mit Naturhefe:** Bei dieser Variante fügen Sie den Zutaten noch 1 EL Naturhefe auf der Basis von Melasse (Bioladen oder Reformhaus) hinzu, das Schabzigerklee-/Bockshornkleepulver können Sie entweder beibehalten oder weglassen.

Da die Hefe nach Käse schmeckt, wird sie in der Rohkostszene oft zur Herstellung von Nusskäse verwendet.

– **mit Sauerkrautsaft, Brottrunk oder Rejuvelac:** Bei dieser Variante verwenden Sie anstelle des Wassers und des Zitronensaftes 100 ml Sauerkrautsaft, Brottrunk (Reformhaus) oder Rejuvelac (Flüssigkeit, die während des Fermentierens von Getreide hergestellt wird). Geben Sie, falls nötig, noch etwas Wasser hinzu. Das Schabzigerklee-/Bockshornkleepulver können Sie je nach Wunsch auch weglassen.

Grundrezept weicher und fester Käse

Zutaten

300 g Nüsse oder Samen Ihrer Wahl

1 Probiotikum Ihrer Wahl, z. B.:

- 1–2 EL ProEMsan
- 1–2 EL Vita Biosa
- 1–2 EL Symbioflor
- 2–3 Kapseln Tri-Flora oder andere probiotische Kapseln
- 1–2 TL Probasan

Zubereitung

Weichen Sie die Nüsse etwa 24 Stunden lang in Wasser ein, und spülen Sie sie zwischendurch immer wieder einmal ab. Entfernen Sie danach, falls vorhanden, die braune Haut (z. B. bei Mandeln, Walnüssen, Haselnüssen, Pistazien ...). Verarbeiten Sie die Nüsse zusammen mit 200 ml Wasser und dem Probiotikum im Mixer zu einer cremigen Masse, und gießen Sie sie in ein Sieb (Nussmilchbeutel, Käsesieb oder Küchensieb, das mit Mull ausgelegt wurde), in dem sie 2–3 Stunden lang abtropfen kann. Stellen Sie sie anschließend an einen warmen Ort, und lassen Sie sie etwa 8–14 Stunden lang fermentieren. Wenn Sie den Käse mit einem Gewicht (z. B. einem Säckchen Erbsen, Steinen oder einer Platte, die genau in Ihr Käsegefäß passt) beschweren, wird die Masse besser komprimiert und der Käse fester. Geben Sie den Käse anschließend noch für

4–24 Stunden in den Kühlschrank, je nachdem, wie fest sie ihn haben wollen. Je kürzer Sie ihn kühlen, desto weicher bleibt er. Wenn Sie den Käse im Kühlschrank aufbewahren, hält er sich problemlos 1–2 Wochen lang.

Tipp: Anstelle des Probiotikums und des Wassers können Sie zur Käseherstellung auch 100 ml Sauerkrautsaft, Brottrunk oder Rejuvelac verwenden. Geben Sie, wenn nötig, noch etwas Wasser dazu.

Käserezepte mit Cashewkernen

Zur Zubereitung von Cashew-Frischkäse und Cashewkäse verfahren Sie wie im Grundrezept zur Herstellung von Frischkäse (siehe S. 43) sowie von weichem und festem Käse (siehe S. 45) beschrieben.

Cashew-Frischkäse mit Gartenkräutern

Zutaten

300 g Cashewkerne, über Nacht eingeweicht
Saft einer halben Zitrone
1 Prise Kristallsalz
1 Prise Pfeffer
1 halbe Tasse klein geschnittener Schnittlauch
1 halbe Tasse klein geschnittener Dill
1 halbe Tasse klein geschnittene Petersilie
1 TL Schabzigerkleepulver

Zubereitung

Spülen Sie die eingeweichten Cashewkerne ab, und geben Sie sie mit 100 ml frischem Wasser, je nach gewünschter Konsistenz auch mehr, in den Mixer. Fügen Sie Zitronensaft, Kristallsalz und Pfeffer hinzu. Verarbeiten Sie alles zu einer feinen Creme, und geben Sie diese in eine Schüssel. Heben Sie anschließend die sehr klein geschnittenen frischen Kräuter unter, und füllen Sie den Frischkäse in ein hübsches Behältnis, oder richten Sie ihn auf einem frischen Salatbett an.

Tipp: Dieser Kräuter-Frischkäse macht sich wunderbar auf Gurkenscheibchen, auf Brot oder zu Crackern und Gemüsesticks! Aber auch pur ist er ein Genuss. Richten Sie ihn zu einem besonderen Anlass z.B. mit Zucchinischeiben und grünem Spargel an.

Cashew-Frischkäse mit Wildkräutern

Zutaten

300 g Cashew-Frischkäse
½ Tasse klein geschnittener Giersch
½ Tasse klein geschnittene Brennnesseln
½ Tasse klein geschnittene Vogelmiere
3 klein geschnittene Löwenzahnblätter (oder andere Wildkräuter der Saison)
etwas Kristallsalz
etwas Zitronensaft

Zubereitung

Mischen Sie die fein geschnittenen Kräuter unter Ihren Cashew-Frischkäse, und schmecken Sie ihn mit Salz und Zitronensaft ab.

Tipp: Richten Sie Ihren Frischkäse mittig auf einem Teller mit Wildkräutern an, z. B. auf Giersch und Schafgarbenblättchen.

Cashew-Feuercreme

Zutaten
300 g Cashew-Frischkäse
2 eingeweichte getrocknete Tomaten
1 frische, reife Tomate
1 TL Cayennepulver oder 1 Tropfen Cayenneextrakt

Zubereitung
Verarbeiten Sie alle Zutaten im Mixer zu einem herrlich scharfen Frischkäse.

Tipp: Diese feurige Creme eignet sich hervorragend als Füllung für Pilze, als Snack, als Aufstrich oder als Dip z. B für Gurkenscheiben.

Cashew-Frischkäse
mit getrockneten Tomaten und Oliven

Zutaten
5 getrocknete, sehr fein gehackte Tomaten
½ Tasse sehr klein geschnittene schwarze Oliven
300 g Cashew-Frischkäse
etwas Olivenöl

Zubereitung
Rühren Sie die Tomaten und die Oliven vorsichtig unter Ihren Frischkäse. Sie können noch einige Tropfen Olivenöl hinzufügen und nach Belieben nachwürzen.

Tipp: Richten Sie den leckeren Frischkäse auf einem Bett von in Streifen geschnittenem Romana-Salat, Scheiben von Romana-Tomaten und frischem Basilikum an.

Cashew-Streichkäse mit schwarzem Pfeffer

Zutaten
300 g Cashewkäse
1 EL schwarzer Pfeffer
1 EL Zitronensaft
1 EL Olivenöl

Zubereitung
Verarbeiten Sie alle Zutaten im Mixer zu einer streichfähigen Käsecreme. Bei Bedarf können Sie noch etwas Wasser hinzufügen, dann wird die Masse noch streichfähiger.

Tipp: Servieren Sie den Frischkäse zu Fingerfood, Brot und Crackern, oder verwenden Sie ihn als Beilage zu einem leckeren Rohkostgericht.

Marmorierter Cashewkäse

Zutaten

3 in Scheiben geschnittene Tomaten
1 EL Oivenöl
1 EL Paprikapulver
300 g Cashewkäse

Zubereitung

Trocknen Sie die Tomatenscheiben im Dehydrator oder an der Sonne (Insektenschutz!). Die getrockneten Tomaten sollten noch etwas weich sein. Verarbeiten Sie das Olivenöl und das Paprikapulver mit den Tomaten im Mixer zu einer cremigen Masse, und geben Sie alles in eine Schüssel. Fügen Sie 2/3 des Cashewkäses hinzu, und vermischen Sie ihn gut mit den Tomaten. Verkneten Sie die Tomaten-Käse-Masse mit dem restlichen Käse, sodass ein marmorähnliches Muster entsteht. Bringen Sie den Käse in eine beliebige Form.

Cashewkäse mit getrockneten Kräutern

Zutaten

2 EL getrocknete Kräuter Ihrer Wahl
1 Prise Kristallsalz
300 g Cashewkäse

Zubereitung

Verrühren Sie die Kräuter und das Kristallsalz mit dem Cashewkäse, oder vermischen Sie alles im Mixer. Bringen Sie den Käse
in eine beliebige Form, und stellen Sie ihn anschließend für
2–3 Stunden oder länger in den Kühlschrank, damit er wieder
fest wird.

Tipp: Dekorieren Sie den Käse mit frischen Kräutern, oder
schneiden Sie kleine Ecken aus ihm, und reichen Sie sie zu
einem Rohkostteller. Füllen Sie alternativ Pilze mit dem Käse.

Feuriger Habanero-Nusskäse-Aufstrich

Zutaten
300 g Cashewkäse
½ Habanero (Vorsicht, sehr scharf, auch auf der Haut)
Saft einer halben Zitrone
1 EL Mandel- oder Olivenöl
1 Prise Kristallsalz

Zubereitung
Verarbeiten Sie alle Zutaten im Mixer zu einer feinen Käse-creme. Der Käse ist extrem scharf, aber sein Aroma ist unver-gleichlich!

Tipp: Der Aufstrich kann auch als feuriger Dip oder zum Auf-peppen von verschiedenen Gerichten verwendet werden.

Cashewkäse mit Rosmarin

Zutaten

300 g Cashewkäse
Saft einer halben Zitrone
1 EL Rosmarinöl (Mandelöl mit eingelegtem Rosmarin)
1 Prise Kristallsalz
falls verfügbar 1 EL getrocknete und gemahlene Rosmarinblätter und –blüten, alternativ frische, fein gehackte Blätter und Blüten

Zubereitung

Verarbeiten Sie alle Zutaten bis auf die Rosmarinblätter und -blüten im Mixer zu einer feinen Käsecreme. Formen Sie anschließend ein Käselaibchen, und wälzen Sie es in den Blättern und Blüten. Stellen Sie es für 2–3 Stunden kühl.

Tipp: Schneiden Sie junge, knackige Zucchini in dicke Scheiben, höhlen Sie diese aus, und füllen Sie den Rosmarinkäse hinein. Genießen Sie sie als leckere Vorspeise!

Cashew-Pastakäse

Zutaten
300 g Cashewkäse oder Cashew-Frischkäse

Zubereitung
Streichen Sie den noch weichen Käse sofort nach der Zubereitung – also vor der Kühlung und der Komprimierung – bzw. den Frischkäse ca. ½ cm dick auf einem Antihaftbogen aus, und trocknen Sie ihn für 6–12 Stunden im Lebensmitteltrockner. Lassen Sie den Käse abkühlen, zerbröckeln Sie ihn, und geben Sie ihn in einen Behälter, der sich verschließen lässt. Lagern Sie den Käse bis zu seiner Verwendung an einem trockenen, kühlen Ort.

Tipp: Dieser Käse eignet sich fantastisch zum Aufpeppen von Pasta, Rohkostpasta (aus Gemüse geschnittene Nudeln), Pizzen und herzhaften Vitalkostgerichten.

Scharfer Cashew-Pastakäse

Zutaten
1 TL Schabzigerkleepulver
1 TL Chilipulver
300 g Cashewkäse oder -Frischkäse

Zubereitung
Geben Sie das Schabzigerkleepulver zusammen mit dem Chilipulver und dem noch weichen Käse in den Mixer, und verfahren Sie dann weiter wie im Rezept für Cashew-Pastakäse beschrieben. (siehe S. 57).

Käserezepte mit Paranüssen

Zur Zubereitung von Paranuss-Frischkäse und Paranusskäse verfahren Sie wie im Grundrezept zur Herstellung von Frischkäse (siehe S. 43) sowie von weichem und festem Käse (siehe S. 45) beschrieben.

Paranuss-Frischkäse mit Kräutern

Zutaten

300 g Paranuss-Frischkäse
Saft einer halben Zitrone
1 EL mildes Olivenöl
½–1 TL Pfeffer
1 Prise Salz
½ Tasse sehr fein geschnittener Schnittlauch
½ Tasse sehr fein geschnittene Petersilie
½ Tasse sehr fein geschnittene Kresse

Zubereitung

Geben Sie alle Zutaten bis auf die Kräuter in den Mixer. Rühren Sie anschließend die Kräuter unter, und servieren Sie den Frischkäse.

Tipp: Füllen Sie mit dem Frischkäse Pilze oder kleine Paprikaschoten, die Sie zu Salat servieren können.

Paranusskäsehügel mit Chili und Kakaonibs

Zutaten
300 g Paranusskäse
Saft einer halben Orange
1 EL Mandelöl
1 TL Chilipulver
½ TL abgeriebene Orangenschale
2 EL rohe Kakaonibs

Zubereitung
Geben Sie alle Zutaten bis auf die Kakaonibs in den Mixer, heben Sie anschließend die Kakaonibs unter, und formen Sie einen kleinen Hügel aus dem Käse. Legen Sie ihn für 2–5 Stunden in den Kühlschrank, damit er wieder schön fest wird.

Tipp: Dieses einzigartige Geschmackserlebnis sucht seinesgleichen. Gerade pur ist dieser Käse ein Genuss und sicherlich ein Highlight auf jedem Buffet oder hochwertigen Rohkostmenü. Richten Sie die kleinen Hügel z. B. auf Papierförmchen oder einem Johannisbeerblatt an.

Paranusskäse mit Anis, Fenchel und Kümmel

Zutaten

300 g Paranusskäse
1 EL Mandelöl
1 TL fein gemahlene Fenchelkörner
1 TL fein gemahlener Anis
1 TL fein gemahlener Kümmel
1 Prise Kristallsalz

Zubereitung

Geben Sie alle Zutaten in den Mixer, bringen Sie den Käse in die von Ihnen gewünschte Form, und lassen Sie ihn bei 22–32° C 8–14 Stunden lang reifen. Wenn Sie möchten, bestreuen Sie ihn anschließend mit Kümmelkörnern.

Tipp: Dieser aromatische, sättigende Nusskäse passt wunderbar zu Feldsalat und anderen Blattsalaten. Besonders empfehlen kann ich dazu eine Marinade aus Zitronensaft, Pfeffer, Kristallsalz und Mandelöl.

Paranusskäse mit Äpfeln und Zwiebeln

Zutaten

1 kleine Gemüsezwiebel
2 EL Tamari
1 Apfel
300 g Paranusskäse

Zubereitung

Hacken Sie die Zwiebel klein, und marinieren Sie sie kurz in Tamari. Entfernen Sie anschießend die Schale und das Kerngehäuse des Apfels, und hacken Sie auch diesen in kleine Stücke. Geben Sie die marinierte Zwiebel und die Apfelstücke entweder in den Lebensmitteltrockner, oder trocknen Sie sie auf eine andere Weise, z. B. an der Sonne, jedoch nicht bei über 42° C.

Mischen Sie als Nächstes die getrockneten Apfelstückchen und Zwiebelstückchen unter Ihren Paranusskäse, und formen Sie einen Käselaib.

Alternativ können Sie auch die Zwiebel in Ringe schneiden, die Ringe marinieren und sie zum Trocknen auf einen Faden hängen. Ebenso können Sie mit den Äpfeln verfahren. Zerhacken Sie die Zwiebel- und die Apfelringe dann nach dem Trocknen in kleine Teile.

Tipp: Dieser fruchtig-würzige Käse kann pur oder zu einem Rohkostgericht Ihrer Wahl gegessen werden. Oder probieren Sie doch einmal eine süße Variante, und servieren Sie den Käse mit frisch gemixtem Apfelmus mit Zimt.

Paranuss-Parmesan

Zutaten
300 g Paranusskäse
1 EL rotes Paprikapulver
1 TL Schabzigerkleepulver
1 Prise Kristallsalz

Zubereitung
Geben Sie alle Zutaten in den Mixer, und streichen Sie den Käse auf einer Antihaftmatte ca. ½ cm dick aus. Lassen Sie ihn für etwa 6–12 Stunden im Lebensmitteltrockner, bis der Parmesan bröckelig ist.

Tipp: Der Käse eignet sich gut als Pizzakäse und passt auch wunderbar zu Gemüsepasta sowie zu Salaten.

Käserezepte mit Walnüssen und Haselnüssen

Zur Zubereitung von Walnuss-/Haselnusskäse verfahren Sie wie im Grundrezept zur Herstellung von weichem und festem Käse (siehe S. 45) beschrieben.

Grober Haselnusskäse

Zutaten
300 g Haselnusskäse
1 TL Bockshornklee-
oder Schabzigerkleepulver
1 Prise Kristallsalz
1 Prise Pfeffer

Zubereitung
Geben Sie alle Zutaten in den Mixer, und bringen Sie den entstandenen Käse in einem Servierring in Form. Entfernen Sie den Ring wieder, lassen Sie den Käse 2 Stunden lang außen antrocknen (z. B. im Lebensmitteltrockner), und servieren Sie ihn.

Tipp: Haselnusskäse passt gut zu Vitalkostgerichten mit grünen Blättern, Stangensellerie, Äpfeln und Orangen. Auch Waldbeeren lassen sich gut mit grünen Blättern und Haselnüssen bzw. Haselnusskäse kombinieren.

Walnusskäse mit grünem Pfeffer und grünen Rosinen

Zutaten

300 g Walnusskäse
1 TL Schabzigerkleepulver
1 Prise Kristallsalz
1–2 EL grüne Pfefferkörner
1 Tasse grüne Rosinen

Zubereitung

Geben Sie den Walnusskäse, das Schabzigerkleepulver und das Kristallsalz in den Mixer. Mischen Sie anschließend von Hand die Pfefferkörner und die Rosinen unter, und bringen Sie den Käse wieder in Form. Stellen Sie ihn für 1 Stunde in den Kühlschrank, danach können Sie ihn sofort servieren.

Tipp: Kombinieren Sie den Käse mit einem deftigen Salatteller, und servieren Sie ihn mit frischen Walnusshälften.

Haselnuss-Orangen-Frischkäse

Zutaten
300 g Haselnusskäse
1–2 EL Orangensaft
1 EL abgeriebene Orangenschale
1 TL Schabzigerkleepulver
1 Prise Kristallsalz

Zubereitung
Geben Sie alle Zutaten in den Mixer, bringen Sie den Käse anschließend in die gewünschte Form, und stellen Sie ihn für 1 Stunde kühl.

Tipp: Servieren Sie den Käse auf Feldsalat mit Orangenfilets. Auch Blüten und Wildkräuter passen dazu!

Käserezepte mit Macadamianüssen

Zur Zubereitung von Macadamia-Frischkäse verfahren Sie wie im Grundrezept zur Herstellung von Frischkäse (siehe S. 43) beschrieben.

Macadamia-Kräuter-Frischkäse

Zutaten

300 g Macadamia-Frischkäse
1 halbe Tasse fein geschnittener frischer Kerbel
1 halbe Tasse fein geschnittener frischer Dill
1 halbe Tasse fein geschnittener frischer Estragon
Saft einer halben Zitrone
1 Prise Kristallsalz

Zubereitung

Verarbeiten Sie alle Zutaten im Mixer zu einem leckeren Frischkäse.

Tipp: Füllen Sie ausgehöhlte Paprikas oder aufgeschnittene Aprikosen mit dem Käse.

Macadamia-Frischkäse mit Ingwer und Zitrone

Zutaten
300 g Macadamia-Frischkäse
1 Stück Ingwerwurzel (Menge nach Belieben)
Saft einer Zitrone
½ TL abgeriebene Zitronenschale
1 Prise Kristallsalz

Zubereitung
Verarbeiten Sie alle Zutaten im Mixer zu einem Frischkäse.

Tipp: Richten Sie den Macadamia-Frischkäse in einer ausgehöhlten halben Biozitrone an, am besten auf grünen Blattsalaten, und reichen Sie Fingerfood zum Dippen, z. B. klein geschnittene Gemüsestücke oder Cracker.

Macadamia-Frischkäse mit Babyspinat

Zutaten

250 g Macadamianüsse
2 aromatische, reife Tomaten
Saft einer großen Zitrone
2 EL Olivenöl
1 Prise Kristallsalz
1 kleine Prise Muskat
1 kleine Prise Pfeffer
100 g fein gehackter Babyspinat

Zubereitung

Verarbeiten Sie alle Zutaten bis auf den Spinat mit 250 ml Wasser im Mixer zu einer cremigen Masse, geben Sie sie anschließend in eine Schüssel, und rühren Sie den Spinat unter. Der Frischkäse ist 3–5 Tage lang im Kühlschrank haltbar.

Variante: Macadamia-Frischkäse mit Postelein

Lassen Sie bei dieser Variante den Spinat weg, und bereiten Sie aus den restlichen Zutaten wie oben beschrieben einen Frischkäse zu. Geben Sie dann 2 Tassen klein geschnittenes Postelein, 1 Tasse Paranüsse und 1 Tasse Mandelöl in den Mixer, und stellen Sie ein Pesto daraus her. Legen Sie einen Servierring auf einen Teller, füllen Sie ihn zur Hälfte mit dem Frischkäse, und geben Sie dann das Pesto und schließlich den restlichen Frischkäse darüber.

Macadamia-Frischkäse mit Schnittlauchpesto

Zutaten

1 Bund Schnittlauch
1 Tasse Pinienkerne
½ Tasse Mandelöl
1 Prise Kristallsalz
300 g Macadamia-Frischkäse

Zubereitung

Verarbeiten Sie den Schnittlauch, die Pinienkerne, das Mandelöl und das Kristallsalz im Mixer zu einem Pesto. Legen Sie einen Servierring auf einen Teller, und füllen Sie diesen zur Hälfte mit dem Macadamia-Frischkäse. Geben Sie als Nächstes eine Lage Schnittlauchpesto darüber, und füllen Sie dann bis zum Rand weiter mit Macadamia-Frischkäse auf. Drücken Sie den Käse schön fest, und entfernen Sie dann den Ring.

Tipp: Servieren Sie diese Kreation mit einer frischen Schnittlauchblüte in der Mitte. Reichen Sie dazu Cracker und Gemüsesticks.

Käserezepte mit Mandeln

Zur Zubereitung von Mandel-Frischkäse verfahren Sie wie im Grundrezept zur Herstellung von Frischkäse (siehe S. 43) beschrieben.

Italienischer Mandel-Frischkäse mit Tomate

Zutaten

300 g Mandel-Frischkäse
2 reife Romana-Tomaten
Saft einer halben Zitrone
1 EL kalt gepresstes, mildes Olivenöl
1 EL fein gehackte getrocknete Tomate
1 TL Chilipulver
1 TL Paprikapulver
1 TL frische Thymianblättchen
1 TL frische Oreganoblättchen
1 Prise Kristallsalz

Zubereitung

Verarbeiten Sie alle Zutaten im Mixer zu einem cremigen Frischkäse.

Tipp: Dieser Frischkäse eignet sich
wunderbar zum Befüllen von ausgehöhlten Tomaten! Dekorieren Sie
sie mit einem Kräutersträußchen,
oder genießen Sie den Frischkäse
als Zugabe zu einem italienischen
Salat.

Mandel-Kräuter-Käsecreme

Zutaten

250 g Mandelmus
1 Tasse gemischte getrocknete Kräuter Ihrer Wahl
2–3 EL flüssiges Probiotikum oder 2–3 probiotische Kapseln
Ihrer Wahl
1 EL Kürbiskernöl
1 gute Prise Kristallsalz

Zubereitung

Verrühren Sie kraftvoll alle Zutaten, füllen Sie die entstandene
Masse in ein offenes Gefäß, und bedecken Sie sie mit einem
luftdurchlässigen Tuch. Lassen Sie die Käsecreme bei einer
Temperatur zwischen 22 und 32° C 8–14 Stunden lang reifen.
Wenn die Masse cremiger werden soll, geben Sie noch etwas
Wasser hinzu.

Tipp: Verwenden Sie die Kräuter-Käsecreme als leckeren Aufstrich, oder platzieren Sie mit einer Spritztülle kleine Häubchen
auf einer Antihaftmatte, und lassen Sie die Häubchen bei maxi-
mal 37° C trocknen!
Sie können diese Creme auch mit frischen Kräutern herstellen,
wie z. B. frischem Schnittlauch, Bärlauch, Kerbel, Maggikraut,
Majoran, Thymian, Basilikum, oder was immer Sie mögen.

Mandelkäse mit Tomaten, Chili und Paprika

Zutaten

300 g Mandeln
2 getrocknete Tomaten
1 EL Paprikapulver
1 TL Chilipulver
1–2 EL flüssiges Probiotikum

Zubereitung

Bereiten Sie wie im Grundrezept beschrieben (siehe S. 45) aus den Mandeln einen Nusskäse zu. Mischen Sie dabei die Tomaten, das Paprika- und das Chilipulver zusammen mit dem Probiotikum unter die eingeweichten Mandeln. Sobald der Käse nach 8–14 Stunden bei 22–32° C gereift ist, bringen Sie ihn in eine Form und beschweren ihn, damit er eine festere Konsistenz erhält.

Tipp: Diesen wunderschönen rötlichen, scharfen Mandelkäse können Sie als schnittfesten Käse zu Crackern, Gemüse und Salattellern servieren oder über Ihre Pasta oder Ihren Salat bröckeln.
Einen Käse in gelblicher Färbung mit exotischem Flair erhalten Sie, wenn Sie anstelle der Tomaten und des Paprikapulvers Currypulver und getrocknete Ananas verwenden.

Käserezepte mit Pistazien

Pistazien-Cashewkäse

Zutaten
150 g Pistazien, 12 Stunden lang eingeweicht
150 g Cashewkerne, 12 Stunden lang eingeweicht
Saft einer halben Zitrone
1–2 EL flüssiges Probiotikum, alternativ 1–2 TL probiotisches Pulver oder 2–3 probiotische Kapseln
1 Prise Kristallsalz

Zubereitung
Bereiten Sie aus allen Zutaten einen Nusskäse zu (Zubereitung siehe S. 45). Formen Sie anschließend aus der Käsemasse eine Blüte. Wenn Sie nicht viel Zeit haben, können Sie auch einfach einen Käselaib formen und ihn in essbaren Blüten wälzen. Es gibt sie fertig, sogar in Gewürzmischungen integriert, bei Biogewürzherstellern, wie z. B. Sonnentor oder Brecht. Sie können aber auch essbare Wildblüten sammeln und selbst trocknen.

Tipp: Dieser Käse passt wunderbar zu einem sommerlichen Buffet oder Vitalkostteller aus jungem Blattspinat, Blattsalaten, frischen Wildkräutern und frischen Erdbeeren.

Waldbeerrolle mit Pistazien-Frischkäse

Zutaten
200 g Waldbeeren

Für die Füllung
300 g Pistazien, 8 Stunden eingeweicht
Saft einer Zitrone
1 TL Schabzigerkleepulver
Wasser nach Bedarf
1 Prise Kristallsalz

Zubereitung
Geben Sie für das Waldbeerleder die Waldbeeren in den Mixer, streichen Sie die entstandene Masse im Lebensmitteltrockner dünn aus, und lassen Sie sie für 8–14 Stunden trocknen, je nach Konsistenz und Trocknermodell (weitere Fruchtleder-Rezepte finden Sie in meinem Buch »Naturgesunde Fruchtleder und Wraps«).

Pürieren Sie alle Zutaten für die Füllung im Mixer zu einem feinen Frischkäse. Breiten Sie das Waldbeerleder auf einem großen Brett aus, bestreichen Sie es mit dem Pistazien-Frischkäse, und rollen Sie es zusammen. Portionieren Sie es in gleichmäßige Stücke.

Pistazienkäse griechischer Art

Zutaten

300 g Pistazien
1–2 EL flüssiges Probiotikum oder 1–2 TL probiotisches Pulver
2 EL Kürbiskernöl
1 EL Mandelmus
½ TL Schabzigerkleepulver
Saft einer Zitrone
3 EL mildes Olivenöl
 2 EL griechische Kräutermischung
1 Prise Kristallsalz
½ Tasse schwarze (oder grüne) Oliven
½ gelbe Gemüsepaprika
1 reife Fleischtomate
½ Salatgurke

Zubereitung

Weichen Sie die Pistazien 4–6 Stunden lang in Wasser ein, sie sind sehr schnell weich und lassen sich dann ganz einfach von dem braunen Häutchen lösen. (Entfernen Sie ihre Haut nicht, schmeckt der Käse nicht ganz so gut und kippt schneller.) Vermischen Sie die eingeweichten Pistazien mit dem Probiotikum, und geben Sie sie mit Kürbiskernöl, Mandelmus und Schabzigerkleepulver in den Mixer. Verarbeiten Sie die Nussmasse anschließend zu einem festen Käse (Zubereitung siehe S. 45).

Bereiten Sie anschließend aus dem Zitronensaft, dem Öl, der griechischen Kräutermischung und dem Kristallsalz eine Marinade zu, und schneiden Sie die Oliven, die Paprika, die Tomate und die Salatgurke in kleine Würfel. Setzen Sie den Pistazienkäse in die Mitte eines Tellers. Dekorieren Sie das gewürfelte Gemüse und die Oliven um den Käse herum, und verteilen Sie die Marinade darüber.

Käserezepte mit Pinien– und Zedernkernen

Pinienkäse

Zutaten
250 g Pinienkerne, 2–3 Stunden lang eingeweicht
1 EL flüssiges Probiotikum oder 1 TL probiotisches Pulver
1 Prise Kristallsalz

Zubereitung
Geben Sie alle Zutaten mit 50 ml Wasser in den Mixer, füllen Sie die entstandene Masse z. B. in einen Nussmilchbeutel, und lassen Sie sie 8–10 Stunden lang bei 22–32° C reifen. Verwenden Sie den Käse danach als Streichkäse, oder beschweren Sie ihn, und lassen Sie ihn im Kühlschrank fest werden. Alternativ können Sie ihn auf einer Antihaftmatte in ½–1 cm dicken Scheiben ausstreichen und 2–3 Stunden lang bei bis zu 37° C trocknen lassen.

Tipp: Formen Sie aus dem Käse Bällchen, und wälzen Sie sie in geschälten Hanfsamen. Oder servieren Sie ihn zu einem Chicoréesalat mit einem Mandelkern.

Pinien-Zedern-Frischkäse

Zutaten

150 g Pinienkerne
150 g Zedernkerne
1 EL flüssiges Probiotikum oder 1 TL probiotisches Pulver
1 Prise Kristallsalz

Zubereitung wie im Rezept für Pinienkäse (siehe S. 81)

Tipp: Der Frischkäse eignet sich wunderbar als Beilage zu Crackern und Gemüse. Getrocknet können Sie ihn über Pasta mit Pesto, über eine Pizza oder über einen Salat streuen.

Käserezepte mit Sonnenblumenkernen, Sesamsamen und Kürbiskernen

Sonnenblumenkernkäse

Zutaten

300 g Sonnenblumenkerne, 6–8 Stunden lang eingeweicht
1 EL flüssiges Probiotikum oder 1 TL probiotisches Pulver
1 EL Schabzigerkleepulver
1 Prise Kristallsalz

Zubereitung

Geben Sie die eingeweichten Kerne zusammen mit 100 ml Wasser (je nach gewünschter Konsistenz auch mehr) und den restlichen Zutaten in den Mixer. Füllen Sie die entstandene Masse in ein Käsetuch (Nussmilchbeutel, mit Mull ausgelegtes Sieb ...). Lassen Sie sie etwa 2–3 Stunden lang abtropfen. Stellen Sie den Käse anschließend an einen warmen Ort, und lassen Sie ihn etwa 8 Stunden lang fermentieren. Wenn Sie ein Gewicht auflegen, tritt mehr »Molke« aus, und der Käse wird dichter. Anschließend können Sie ihn herausnehmen, mit Kräutern oder Gewürzen Ihrer Wahl noch einmal in den Mixer geben und dann zu einem Laib formen. Stellen Sie diesen Laib in einem Gefäß für 2–3 Stunden in den Kühlschrank, damit er schön fest wird.

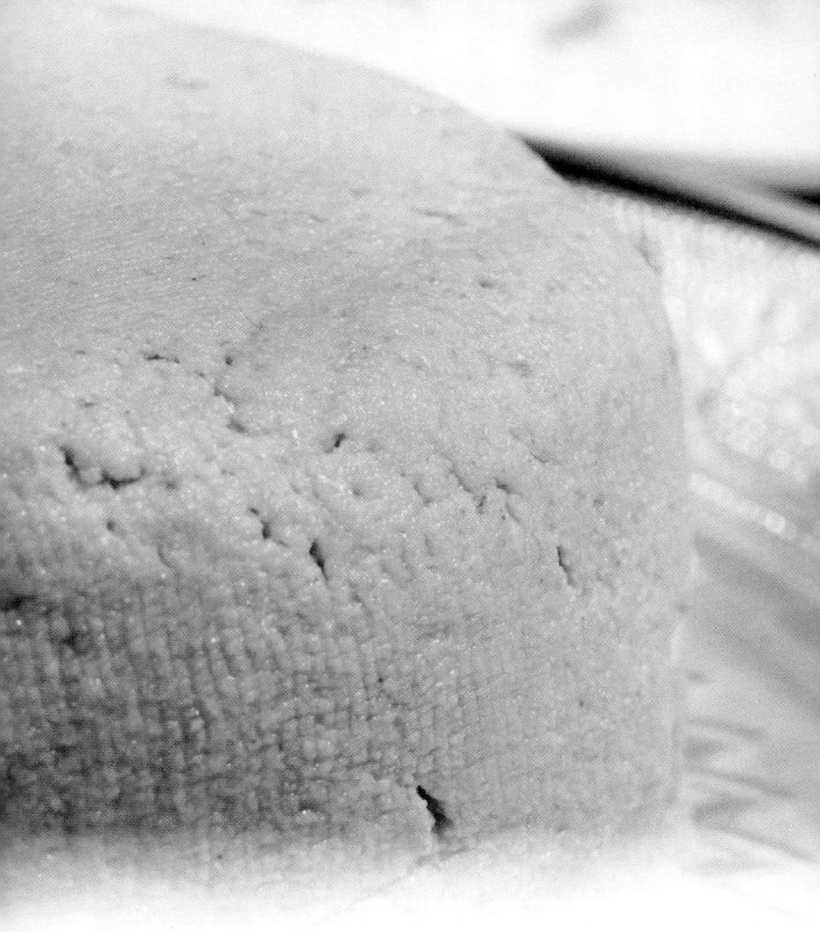

Tipp: Dieser sehr vitalstoffreiche Samenkäse passt wunderbar zu herzhaften, aber auch zu süßen Gerichten, wenn Sie das Schabzigerkleepulver weglassen. Dekorieren Sie den Sonnenblumenkernkäse mit gelben Blüten und grünen Blättern.

Bunt gemischter Käse

Zutaten

100 g eingeweichte Sonnenblumenkerne

100 g eingeweichte Sesamsamen

100 g eingeweichte Kürbiskerne

1–2 EL flüssiges Probiotikum oder 1–2 TL probiotisches Pulver

Zubereitung wie im Rezept für Sonneblumenkernkäse (siehe S. 84)

Tipp: Diese Samenmischung schmeckt besonders würzig und gut. Geben Sie den Käse nach der Gärung, wenn er reif ist, noch einmal mit 2 EL Kürbiskernöl, etwas Pfeffer und 1 Prise Kristallsalz in den Mixer. Bringen Sie den Käse anschließend in Form, und stellen Sie ihn zum Festwerden kühl.

Reichen Sie den Käse zu Crackern oder Gemüse, oder zerbröckeln Sie ihn über Salate. Alternativ können Sie ihn auch trocknen und über Pasta und Pizza streuen.

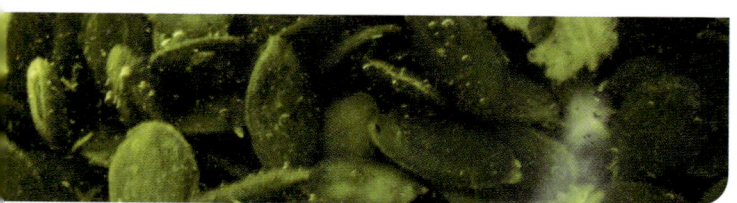

Käsecracker

Zutaten

300 g Nusskäse (Zubereitung siehe S. 45) oder Nuss-Frischkäse
(Zubereitung siehe S. 43) Ihrer Wahl
100 g frisch gemahlene Mandeln
100 g frisch gemahlener goldener Leinsamen
nach Wunsch 1 Prise Kristallsalz
nach Wunsch Kräuter oder Gewürze

Zubereitung

Geben Sie den Nusskäse mit ca. 500 ml Wasser in den Mixer.
Fügen Sie anschließend die Mandeln und den Leinsamen hinzu.
Nach Belieben können Sie noch Kristallsalz oder Kräuter bzw.
Gewürze Ihrer Wahl dazugeben. Streichen Sie die Masse auf
einer Antihaftmatte ca. ½ cm oder dünner aus, und lassen Sie
die Masse bei etwa 40° C so lange trocknen, bis sie kross ist. Das
kann je nach Auftragsstärke, Zusammensetzung und Flüssig-
keitsgehalt der Masse sowie Trocknermodell zwischen 8 und 24
Stunden lang dauern. (Beim Excalibur kann man mit etwa 8–12
Stunden rechnen.) Wenden Sie nach 5–6 Stunden Trocknungszeit die Crackerplatte, und ziehen Sie die Antihaftmatte ab. Auf
dem puren Trockengitter trocknet die Crackerplatte dann wesentlich schneller fertig. Sobald sie durchgetrocknet ist, brechen oder
schneiden Sie sie in die von Ihnen gewünschte Größe und Form.

Tipp: Die Käsecracker eignen sich wunderbar als Snack für unterwegs, für das Büro, für die Schule oder als herzhafte Beilage zu einem cremigen Dip oder einem leckeren Rohkostsalat. Sie können auch bereits fertige Cracker oder Rohkostbrote mit einem Nusskäse bestreichen. Geben Sie diese dann noch für 4–6 Stunden in den Lebensmitteltrockner.

Grundrezept Nusskäsesoße

Zutaten

150 g Nüsse Ihrer Wahl (vorzugsweise 12–24 Stunden lang eingeweicht)
1 EL flüssiges Probiotikum
nach Wunsch Saft einer halben Zitrone
nach Wunsch 1 Prise Kristallsalz

Zubereitung

Verarbeiten Sie alle Zutaten mit etwa 300 ml Wasser, je nach gewünschter Konsistenz, im Mixer zu einer cremigen Soße. Die Nusskäsesoße passt zu vielen Vitalkostgerichten, sie eignet sich z. B. sowohl als Soße zu Gemüsepasta als auch als Salatsoße.

Tipp: Zur Zubereitung einer Käsesoße aus Nüssen können Sie auch einen bereits von Ihnen hergestellten Nuss-Frischkäse Ihrer Wahl (Zubereitung siehe S. 43) verwenden. Geben Sie ihn mit so viel Wasser in den Mixer, wie es Ihrer gewünschten Konsistenz entspricht. Wenn Sie möchten, können Sie noch Gewürze und/oder Kräuter Ihrer Wahl hinzufügen. Im Handumdrehen haben Sie dann aus Ihrem Nusskäse eine leckere Nusskäsesoße hergestellt.

Varianten

Sie können die Käsesoße variieren, indem Sie noch weitere Zutaten mit in den Mixer geben. Versuchen Sie doch einmal eine der folgenden Zutaten:

- 2 getrocknete und 2 frische Tomaten
- 1 Tasse fein gehackte frische Gartenkräuter
- ½ Chilischote und 1 kleine rote Spitzpaprika
- etwas Currypulver oder andere Gewürze Ihrer Wahl

Käsekuchen

Zutaten für den Boden

250 g gemahlene Mandeln

100 g Kokosmehl

1 gemixte Banane und 1 gemixter Apfel

Zutaten für die Käsecreme

500 g Cashewkäse (Zubereitung siehe S. 45)

3–5 entsteinte, eingeweichte gemixte Datteln,
alternativ 1–2 EL Xylit (Birkenzucker)

1 TL Vanillepulver

Zubereitung

Kneten Sie alle Zutaten für den Boden mit 50–100 ml Wasser, je nach gewünschter Konsistenz, zu einem leichten Teig. Verwenden Sie nur so viel Wasser, dass der Teig schön formbar wird. Setzen Sie anschließend den Rand einer Springform auf eine Tortenplatte, legen Sie den Teig darin aus, und drücken Sie ihn fest. Geben Sie alle Zutaten für die Käsecreme in den Mixer, und tragen Sie die entstandene Creme auf den Kuchenboden in der Springform auf. Stellen Sie den Kuchen anschließend zum Festwerden für 2–3 Stunden in den Kühlschrank.

Tipp: Genießen Sie diesen Käsekuchen mit roter Grütze. Geben Sie für die Grütze 250 g gemischte Beeren mit 3 entsteinten Datteln in den Mixer, und fügen Sie der Beerenmasse anschließend noch 250 g ganze Beeren hinzu.

Käsesahnetorte

Zutaten

500 g Cashewkerne, 8–12 Stunden lang eingeweicht
(oder Nüsse/Samen Ihrer Wahl)
Saft einer Orange
1 TL rohes Vanillepulver
1 EL Xylit (Birkenzucker) oder 3 gemixte Datteln
Saft einer halben Zitrone
1 EL Sonnenblumen- oder Sojalezithin
1 EL Kokosöl
1 EL Flohsamenschalen, alternativ 1 EL Kokosmehl
1 Tortenboden (Zubereitung wie Boden des Käsekuchens,
siehe S. 91)

Zubereitung

Spülen Sie die Cashewkerne nach dem Einweichen ab, und
geben Sie sie mit etwa 50 ml Wasser oder mehr, jedoch nur so
viel, wie unbedingt nötig, in den Mixer. Arbeiten Sie mit dem
Stößel. Fügen Sie anschließend Orangensaft, Vanillepulver,
Xylit bzw. Datteln, Zitronensaft, Lezithin, Kokosöl und ganz zum
Schluss noch die Flohsamenschalen hinzu, und vermischen Sie
alles noch einmal gründlich im Mixer. Tragen Sie die entstandene Masse auf den Tortenboden auf, und stellen Sie die Torte
für 9–10 Stunden zum Festwerden in den Kühlschrank oder für
ca. 1 Stunde ins Eisfach.

Tipp: Servieren Sie die Käsesahnetorte mit frischen Erdbeeren! Sehr lecker schmeckt sie auch mit Fruchteinlage auf dem Boden. Belegen Sie dafür den Boden mit Sauerkirschen oder mit Äpfeln und Zimt, bevor Sie die Käsemasse auftragen. Lecker schmeckt diese Variante auch mit Aprikosenstückchen und Heidelbeeren.

Über die Autorin

BRITTA DIANA PETRI

ist Gründerin und Leiterin der RainbowWay® Akademie, einer freien Schule für natürliche Gesundheitsvorsorge, vegane Vitalkost und holistische Lebenskunst. Hier bildet sie ganzheitlich und vegan ausgerichtete »Holistische Gesundheits-, Vitalkost- und Lebensberater« sowie »Holistische Vitalkostzubereiter« aus. Im Zentrum ihrer Tätigkeit stehen Methoden, mit denen Menschen ihre Lebenskraft erhalten, pflegen und stärken können.

Weitere Informationen unter:
www.RainbowWay.de

Von Britta Diana Petri bereits erschienen im  Schirner Verlag

Britta Diana Petri: Zauberhafte Mandelmus-Rezepte – roh, vegan und glutenfrei aus der RainbowWay®-Vitalkost-Küche
Paperback, 96 Seiten, mit zahlreichen farbigen Abbildungen
ISBN 978-3-8434-5041-6

Britta Diana Petri: Naturgesunde Fruchtleder und Wraps – roh, vegan und glutenfrei aus der RainbowWay®-Vitalkost-Küche
Paperback, 96 Seiten, mit zahlreichen farbigen Abbildungen
ISBN 978-3-8434-5053-9

Britta Diana Petri: Köstliche Kokos-Rezepte aus der RainbowWay®-Vitalkost-Küche
Paperback, 96 Seiten, mit zahlreichen farbigen Abbildungen
ISBN 978-3-8434-5054-6

Britta Diana Petri & Thorsten Weiss: Roh-Schokolade – Super Food und Aphrodisiakum
Paperback, 96 Seiten, mit zahlreichen farbigen Abbildungen
ISBN 978-3-8434-5066-9